Jesus

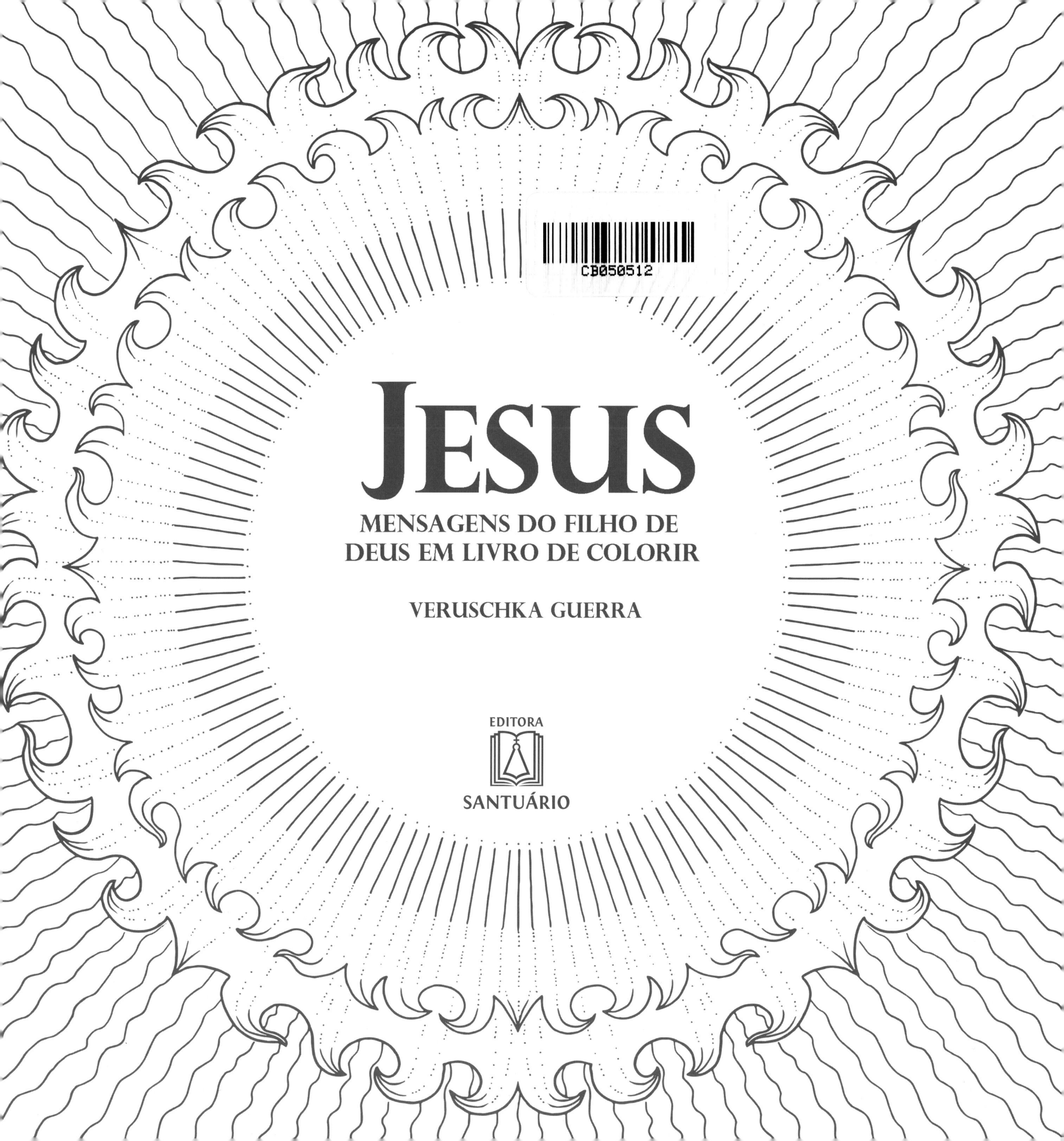

Mensagens do Filho de Deus em livro de colorir

VERUSCHKA GUERRA

Editora
SANTUÁRIO

DIREÇÃO EDITORIAL: Pe. Fábio Evaristo Resende Silva, C.Ss.R.
COORDENAÇÃO EDITORIAL: Ana Lúcia de Castro Leite
REVISÃO: Luana Galvão
DIAGRAMAÇÃO: Bruno Olivoto
ILUSTRAÇÕES E CAPA: Veruschka Guerra

Dados Internacionais de Catalogação na Publicação (CIP)
(Câmara Brasileira do Livro, SP, Brasil)

Guerra, Veruschka
   Jesus: mensagens do filho de Deus em livro de colorir/ Veruschka Guerra. – Aparecida, SP: Editora Santuário, 2016.

   ISBN 978-85-369-0451-1

   1. Jesus Cristo – Ensinamentos 2. Livros para colorir 3. Vida cristã I. Título.

16-05280   CDD-232

Índices para catálogo sistemático:
1. Jesus Cristo: Ensinamentos: Livros para colorir 232

4ª impressão

Todos os direitos reservados à **EDITORA SANTUÁRIO** – 2025

Rua Pe. Claro Monteiro, 342 – 12570-045 – Aparecida-SP
Tel.: 12 3104-2000 – Televendas: 0800 0 16 00 04
www.editorasantuario.com.br
vendas@editorasantuario.com.br

Este livro pertence a:

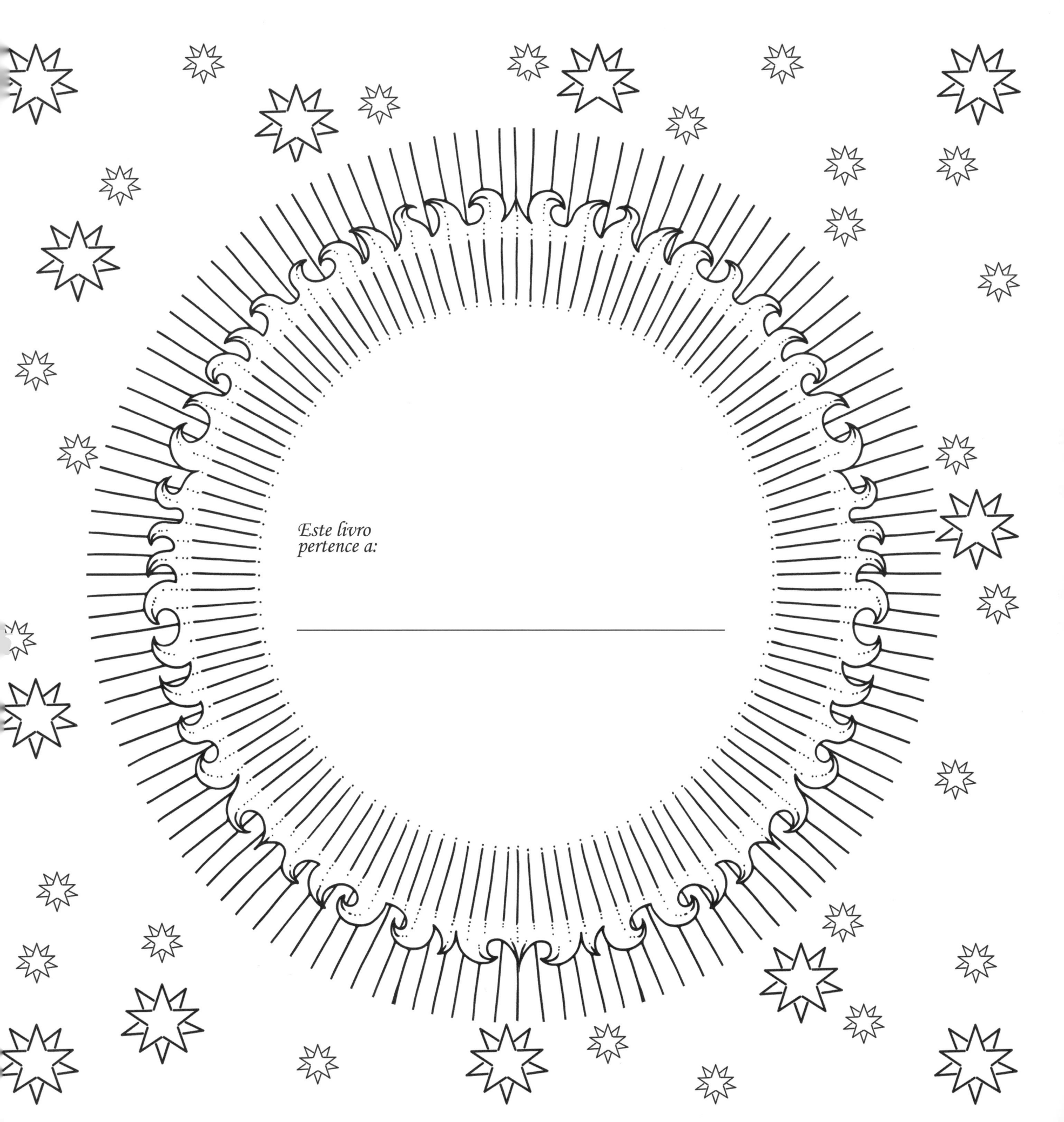

_____

"*A beleza e seriedade das palavras
de Jesus Cristo atravessam o tempo
e permanecem vivas em nossos corações,
tamanha foi a sua trajetória na Terra.
Este é um livro de mensagens com
imagens para colorir. Ele traz as palavras
daquele que mudou, verdadeiramente,
a vida de milhares de pessoas com
seu exemplo de Amor pleno,
presenteando a alma de cada um de nós
com um caminho a seguir, um amor a
viver e um céu a realizar.*"

Veruschka Guerra

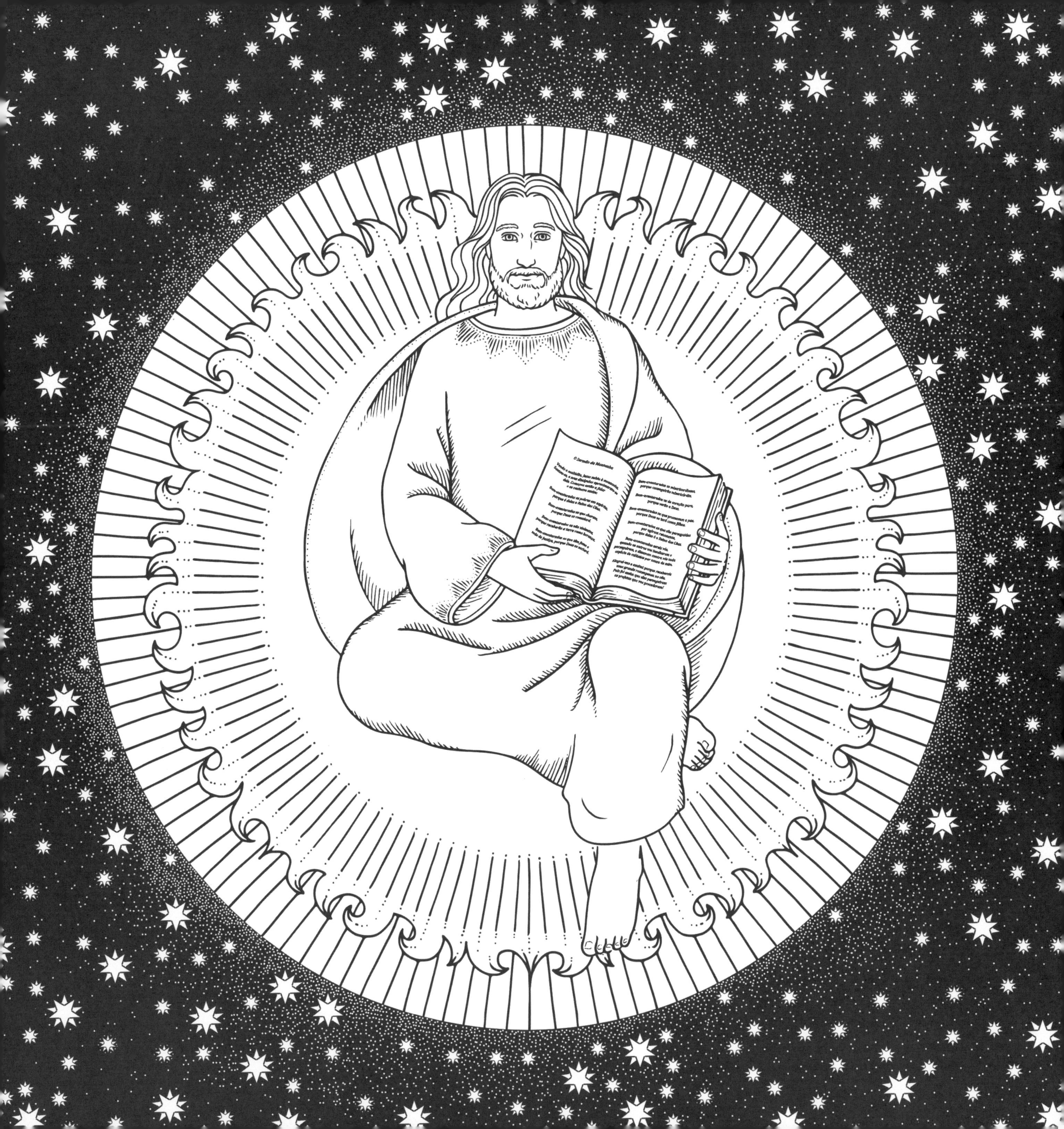

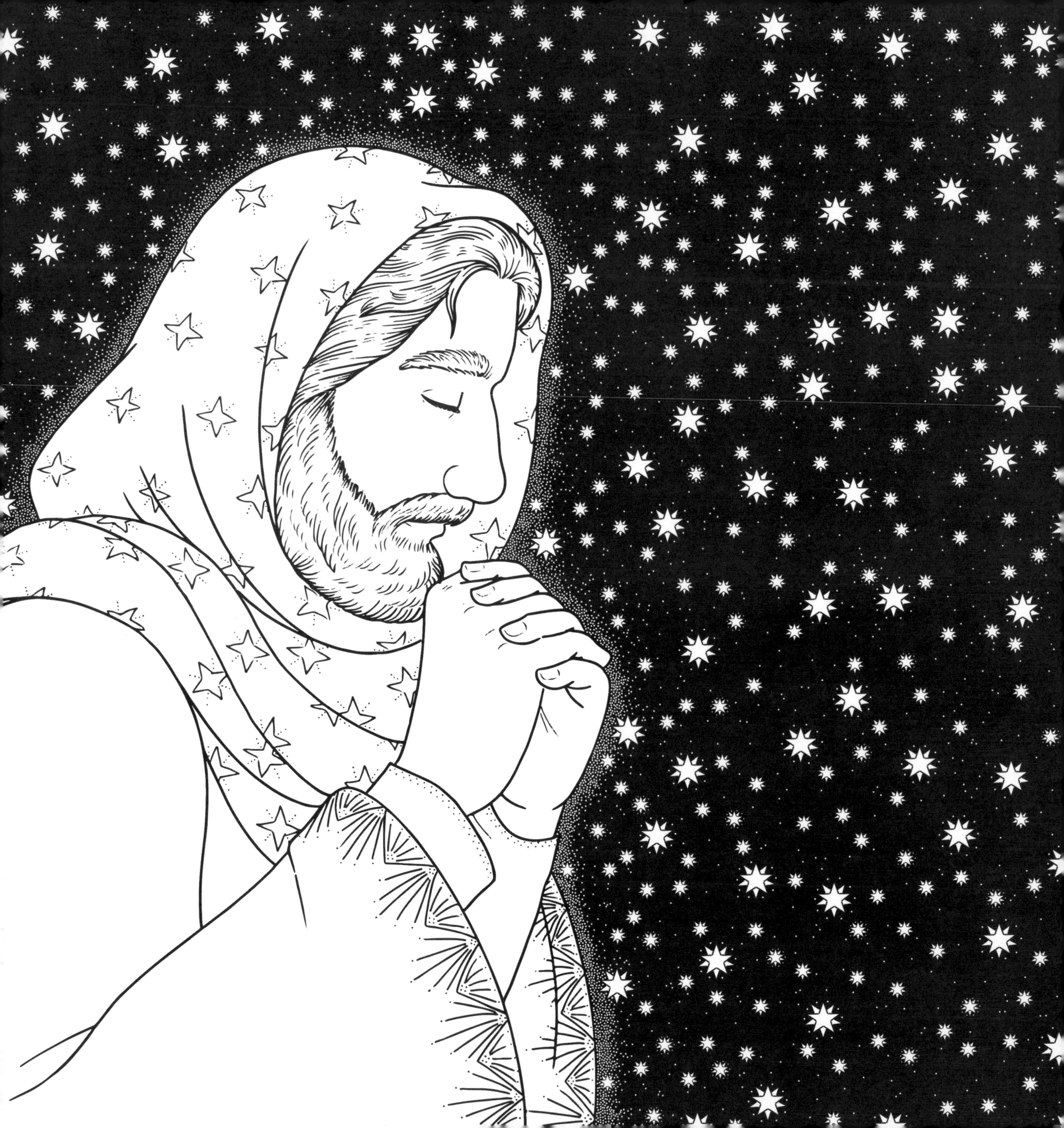

*"Pai nosso, que estais nos céus,
santificado seja o vosso nome,
venha a nós o vosso reino,
seja feita a vossa vontade,
assim na terra como no céu.
O pão nosso de cada dia nos dai hoje,
perdoai as nossas ofensas,
assim como nós perdoamos
a quem nos tem ofendido,
e não nos deixeis cair em tentação,
mas livrai-nos do mal."*

Mateus 6,9-13

As Bem-aventuranças

*Vendo a multidão, Jesus subiu à montanha.
Sentou-se, e seus discípulos aproximaram-se dele.
Começou então a falar e os ensinava assim:*

"Bem-aventurados os pobres em espírito, porque é deles o Reino dos Céus.

Bem-aventurados os que choram, porque Deus os consolará.

Bem-aventurados os não violentos, porque receberão a terra como herança.

Bem-aventurados os que têm fome e sede de justiça, porque Deus os saciará.

Bem-aventurados os misericordiosos, porque conseguirão misericórdia.

Bem-aventurados os de coração puro, porque verão a Deus.

Bem-aventurados os que promovem a paz, porque Deus os terá como filhos.

*Bem-aventurados os que são perseguidos por agirem retamente,
porque deles é o Reino dos Céus.*

*Bem-aventurados sereis vós, quando os outros vos insultarem e perseguirem,
e disserem contra vós toda espécie de calúnias por causa de mim.
Alegrai-vos e exultai, porque recebereis uma grande recompensa no céu.
Pois foi assim que eles perseguiram os profetas que vos precederam!"*

Mateus 5,1-12

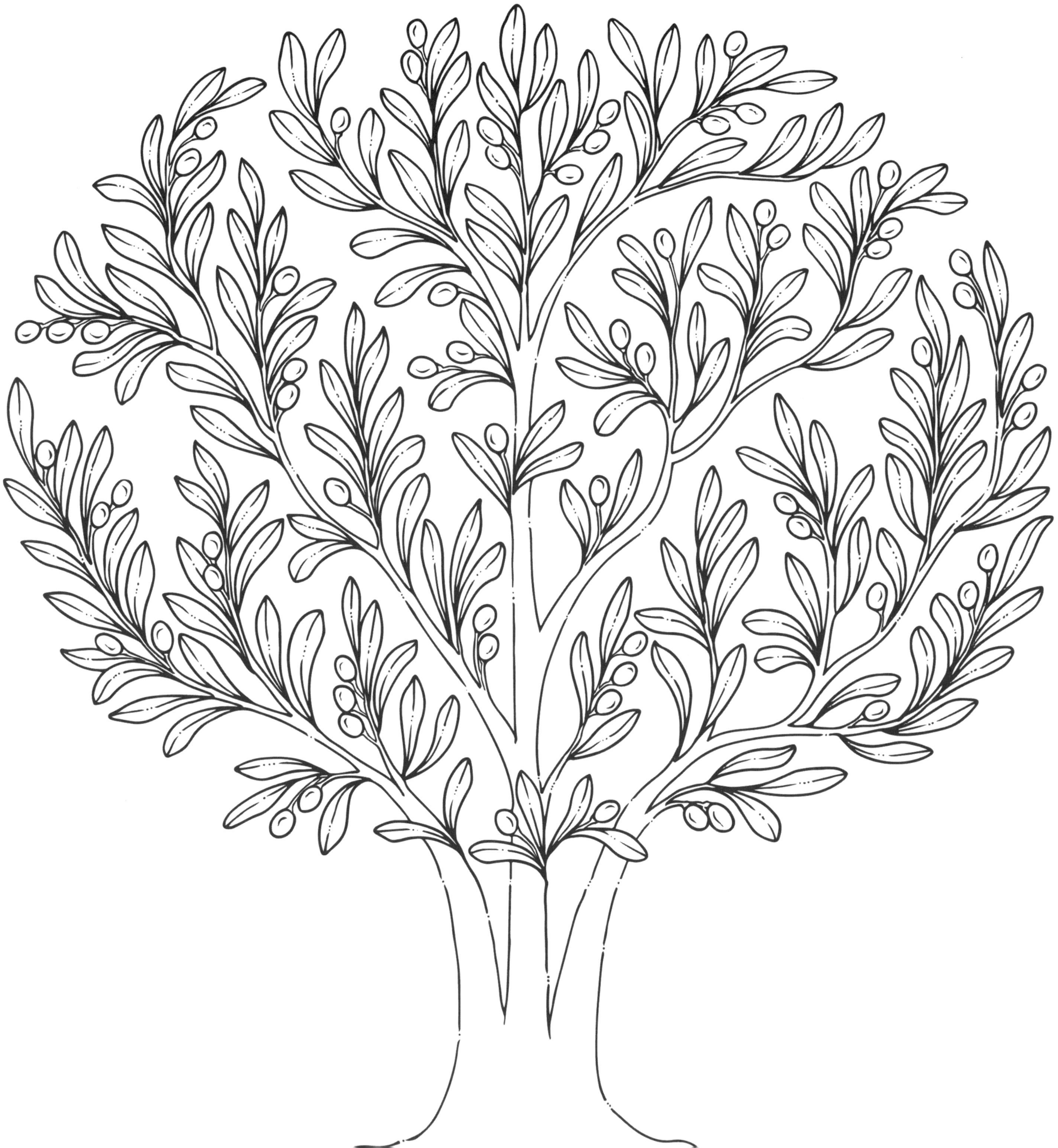

"Vós sois o sal da terra.
Mas se o sal perder o sabor, com que se salgará?
Não serve mais para nada, senão para ser
jogado fora e ser pisado pelas pessoas.
Vós sois a luz do mundo. Uma cidade construída
no alto do monte não pode ficar escondida.
E também não se acende uma luz para pô-la debaixo de um móvel.
Pelo contrário, é posta no candeeiro, de modo que brilhe para
todos os que estão na casa.
Assim deve brilhar vossa luz diante dos outros, para que
vejam vossas boas obras e glorifiquem vosso Pai, que está nos céus."

Mateus 5,13-16

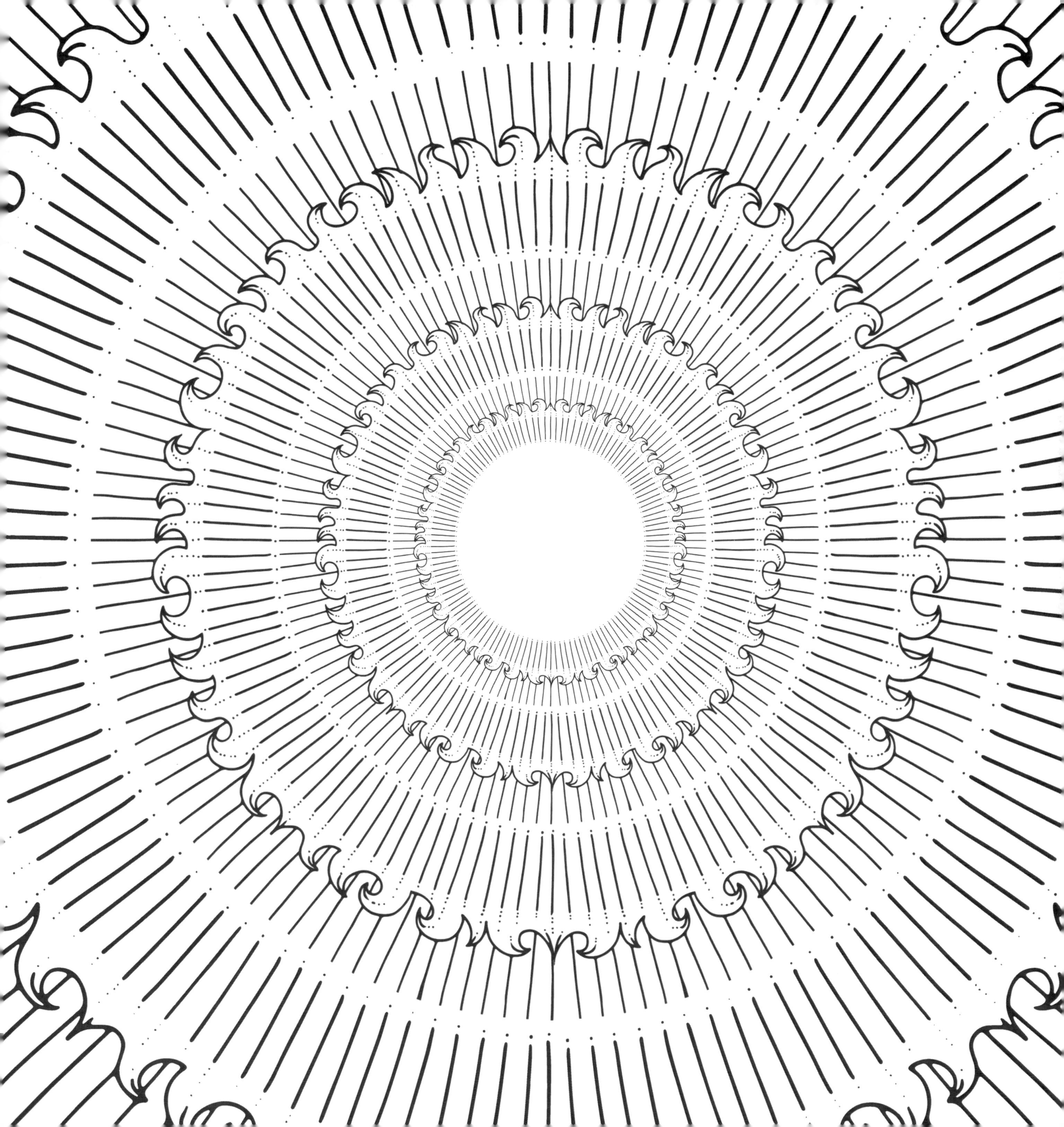

AMOR

"Amai vossos inimigos
e rezai pelos que vos perseguem,
para que sejais filhos de
Vosso Pai celeste, que faz nascer
o sol para os maus e os bons
e faz cair a chuva
sobre os justos e os injustos.
De fato, se amais os que
vos amam, que merecimento tereis?"

Mateus 5,44-46

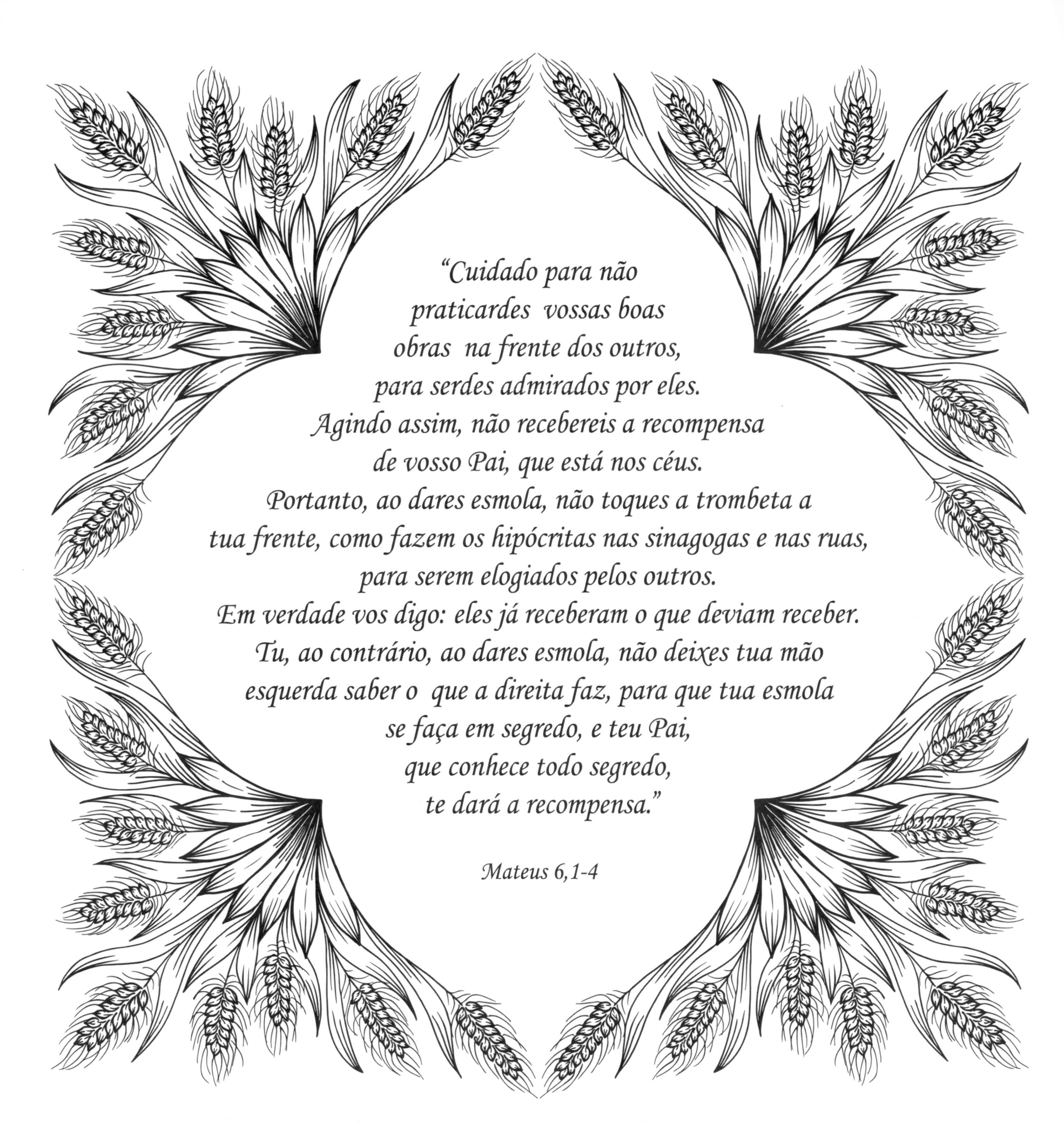

"Cuidado para não praticardes vossas boas obras na frente dos outros, para serdes admirados por eles. Agindo assim, não recebereis a recompensa de vosso Pai, que está nos céus. Portanto, ao dares esmola, não toques a trombeta a tua frente, como fazem os hipócritas nas sinagogas e nas ruas, para serem elogiados pelos outros. Em verdade vos digo: eles já receberam o que deviam receber. Tu, ao contrário, ao dares esmola, não deixes tua mão esquerda saber o que a direita faz, para que tua esmola se faça em segredo, e teu Pai, que conhece todo segredo, te dará a recompensa."

Mateus 6,1-4

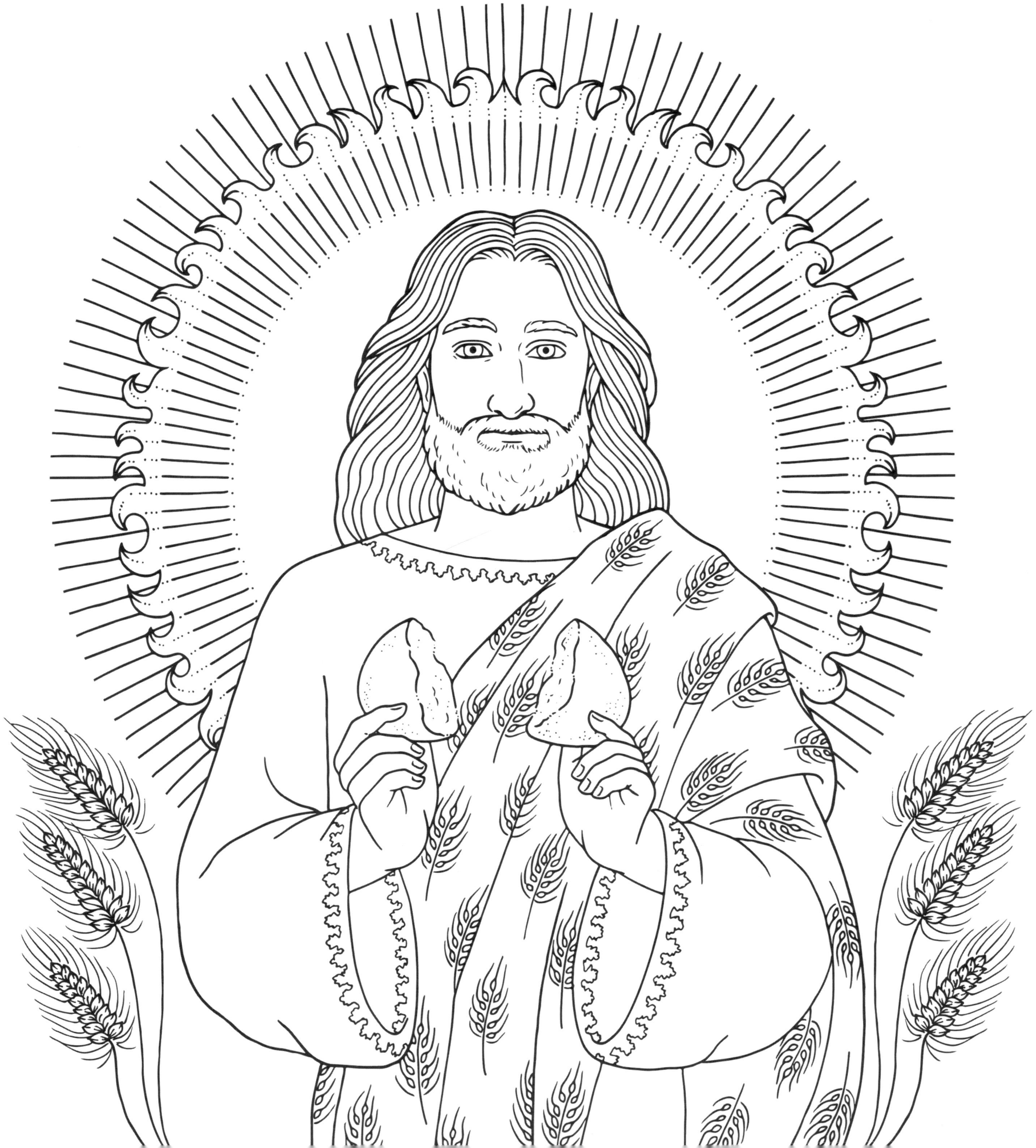

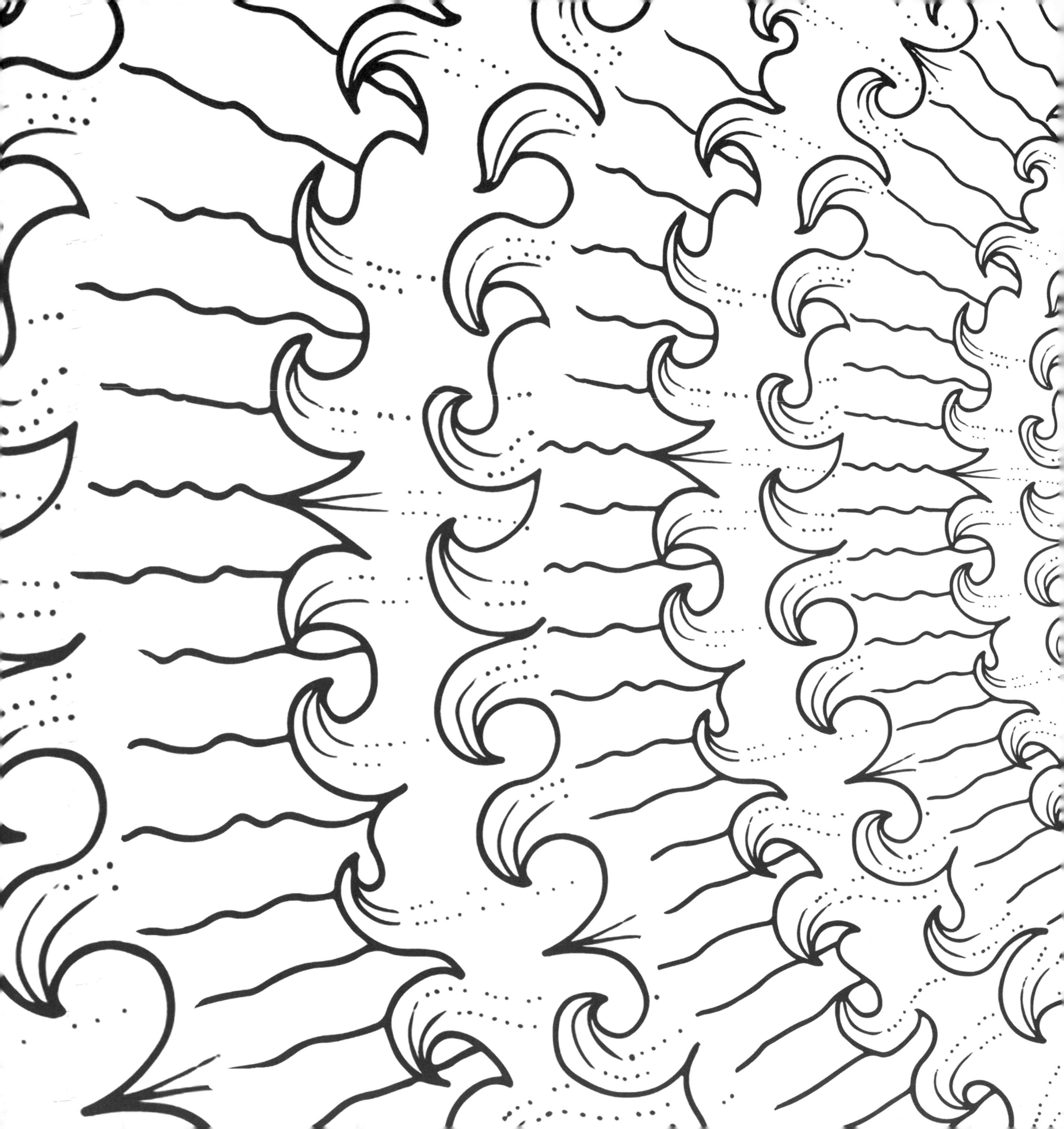

"Não ajunteis tesouros na terra, onde a traça e a ferrugem os destroem e os ladrões assaltam e roubam. Mas ajuntai riquezas no céu, onde nem traça nem ferrugem as podem destruir, nem os ladrões conseguem assaltar e roubar. Pois onde estiver teu tesouro, aí estará também teu coração."

Mateus 6, 19-21

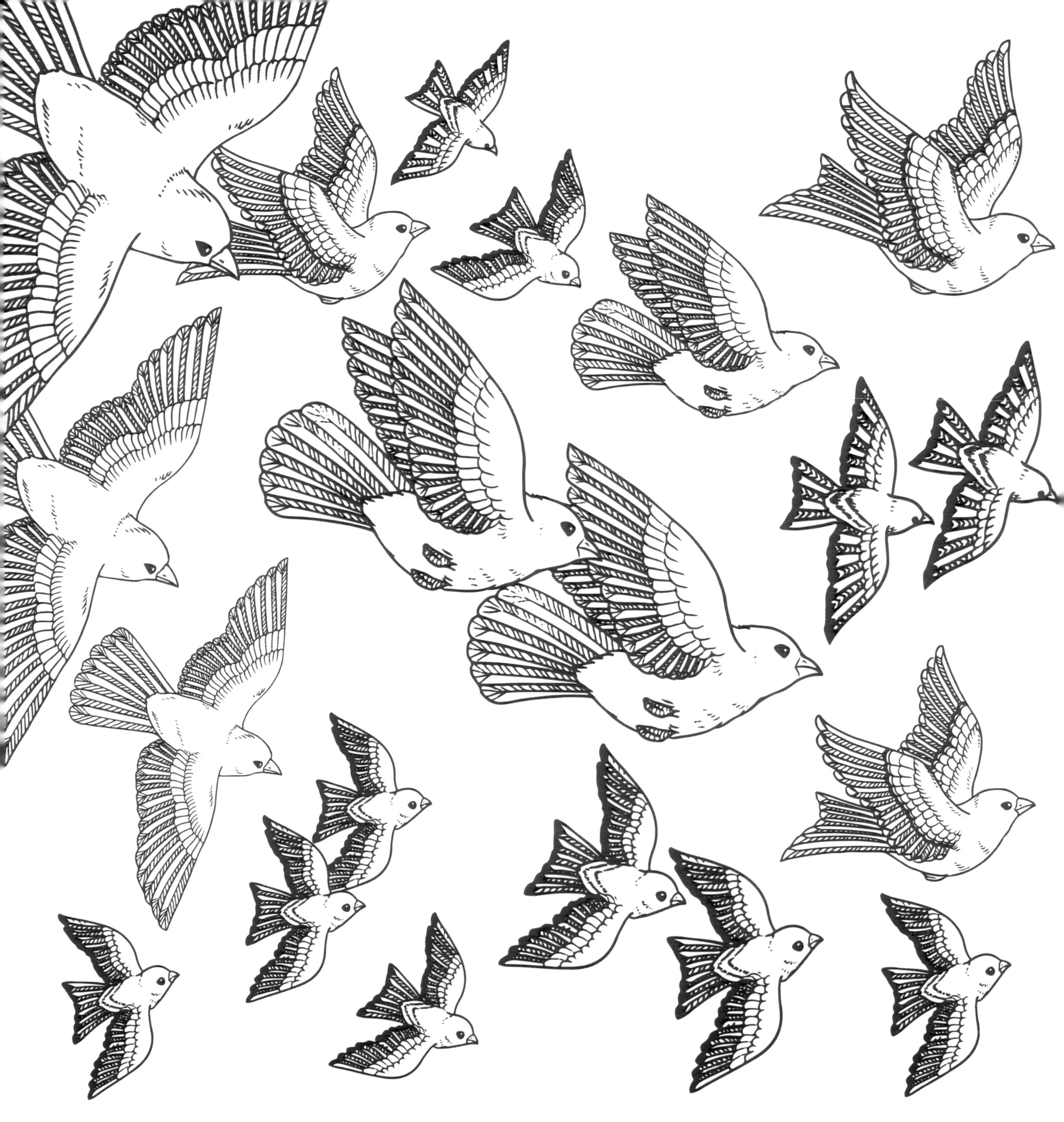

"Portanto vos digo: para vossa vida, não vos preocupeis com o que comereis ou bebereis, nem para vosso corpo, o que vestireis. A vida não vale mais que o alimento, e o corpo não vale mais que a roupa?

Olhai as aves do céu: não semeiam nem colhem, nem ajuntam mantimentos no paiol; no entanto, vosso Pai celeste lhes dá o alimento. Será que não valeis mais que elas?

Quem de vós é capaz, com suas preocupações, de acrescentar uma hora sequer à duração de sua vida?"

Mateus 6,25-27

*"E por que vos preocupais com a roupa? Olhai os lírios do campo como crescem: não trabalham nem tecem.
Entretanto vos digo que nem Salomão, no auge de sua glória, vestiu-se como um deles.
Se Deus dá uma roupa destas à relva do campo, que hoje existe e amanhã
será jogada ao fogo, quanto mais não fará por vós, gente pobre de fé?
Não fiqueis, pois, preocupados, perguntando: Que vamos comer? Que vamos beber? Com que nos vamos vestir?
Os pagãos é que vivem preocupados com tudo isso. Ora, vosso Pai celeste sabe que precisais de tudo isso.
Buscai em primeiro lugar o Reino de Deus e sua justiça, e todas essas coisas vos serão acrescentadas.
Portanto, não vos preocupeis com o dia de amanhã; o dia de amanhã se preocupará consigo mesmo.
Basta a cada dia sua pena."*

Mateus 6,28-34

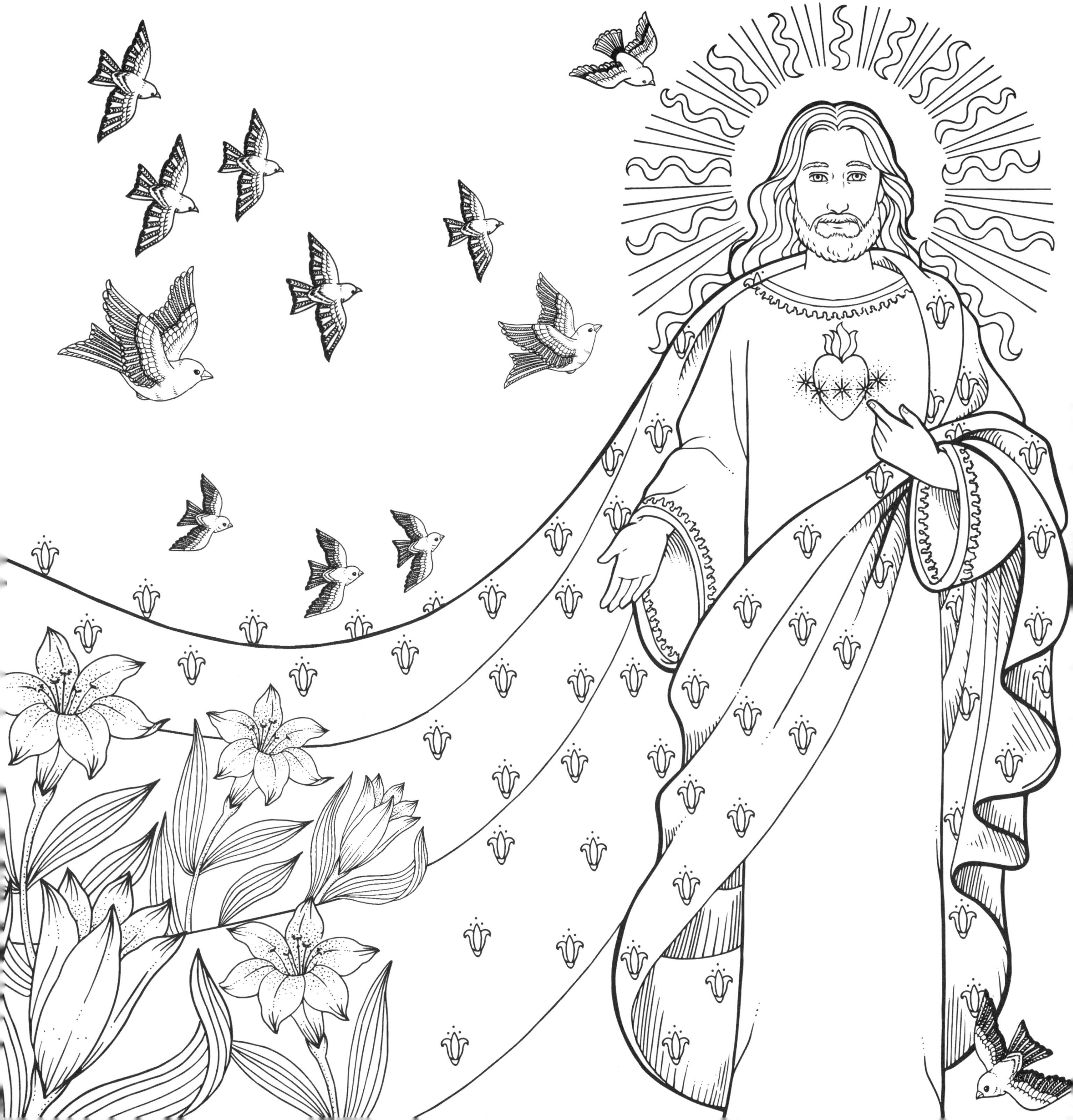

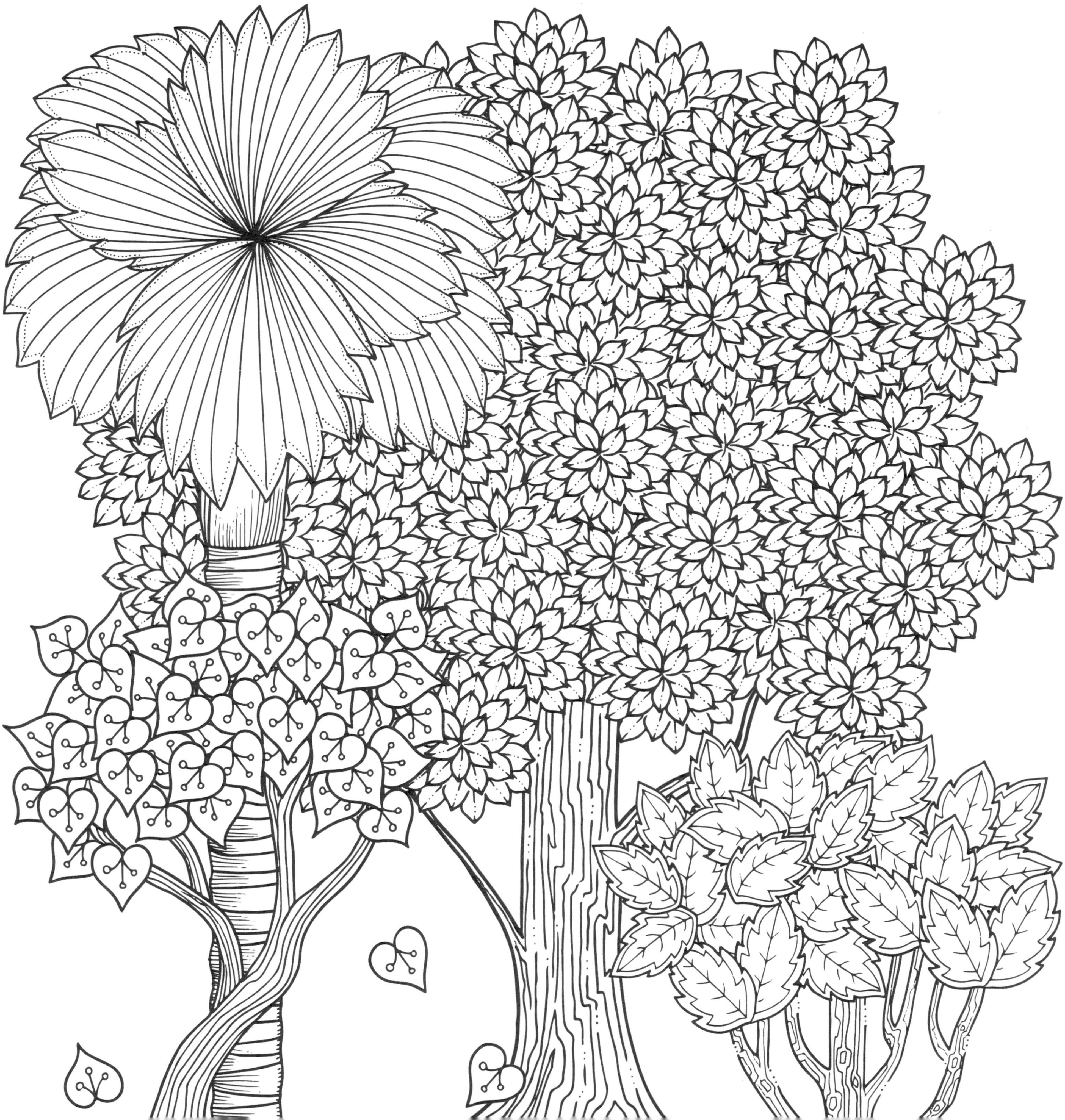

Mateus 7,1-3

"Não julgueis os outros, e Deus não vos julgará.

Pois, com o mesmo critério com que julgardes os outros, sereis julgados.

E a mesma medida que usardes para medir os outros será aplicada também a vós.

Por que observar o cisco que está no olho de teu irmão,

se não enxergas a trave que está em teu olho?"

"Pedi e recebereis;
buscai e achareis;
batei e a porta vos será aberta.
Pois todo aquele que pede recebe;
quem procura acha;
e ao que bate, abre-se a porta.
Quem de vós dará uma pedra
ao filho que lhe pedir pão?
Ou lhe dará uma cobra, se lhe pedir peixe?
Ora, se vós, que sois maus, sabeis dar
coisas boas a vossos filhos, quanto
mais vosso Pai celeste dará coisas
boas aos que lhe pedirem!"

Mateus 7,7-11

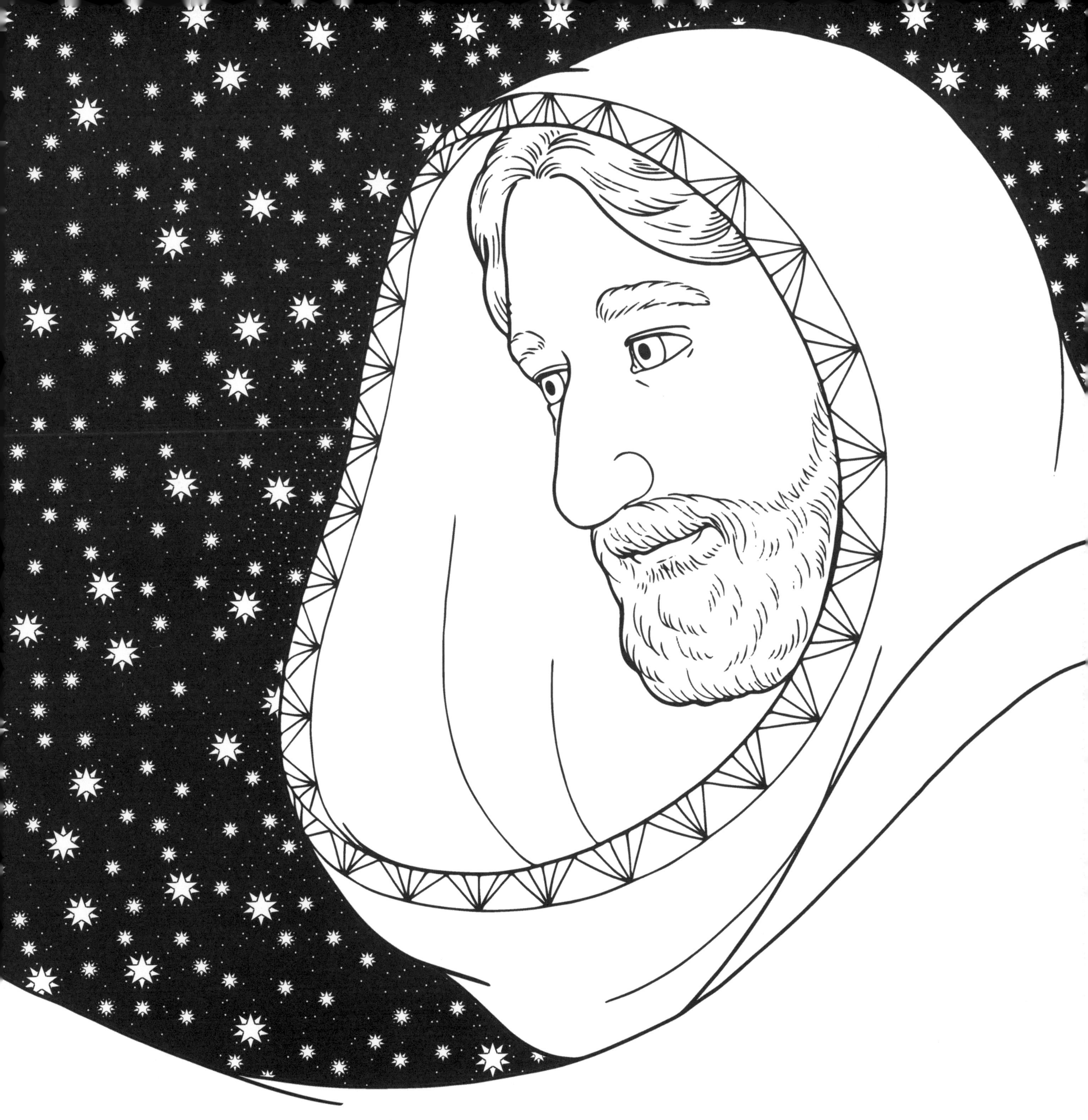

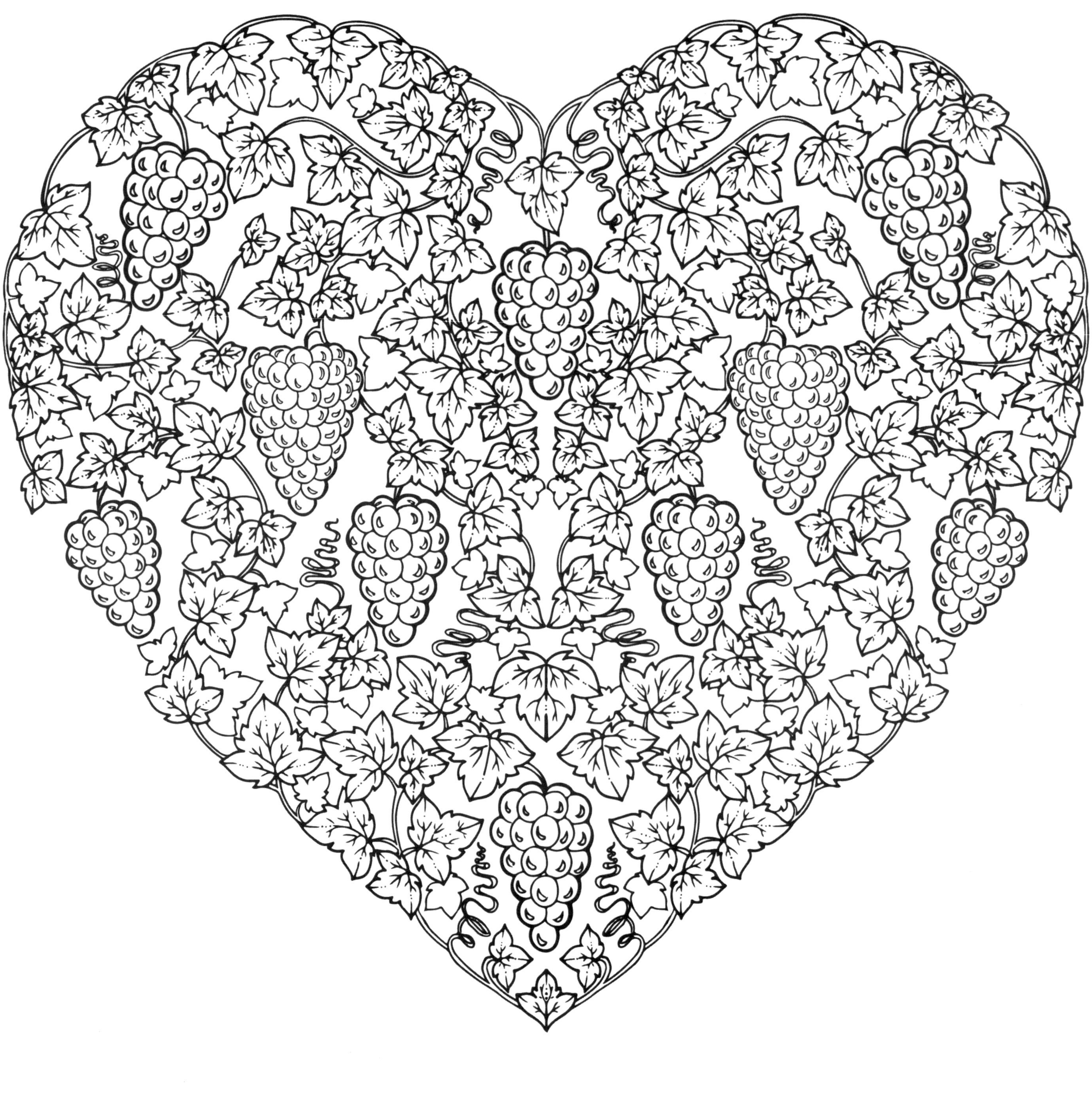

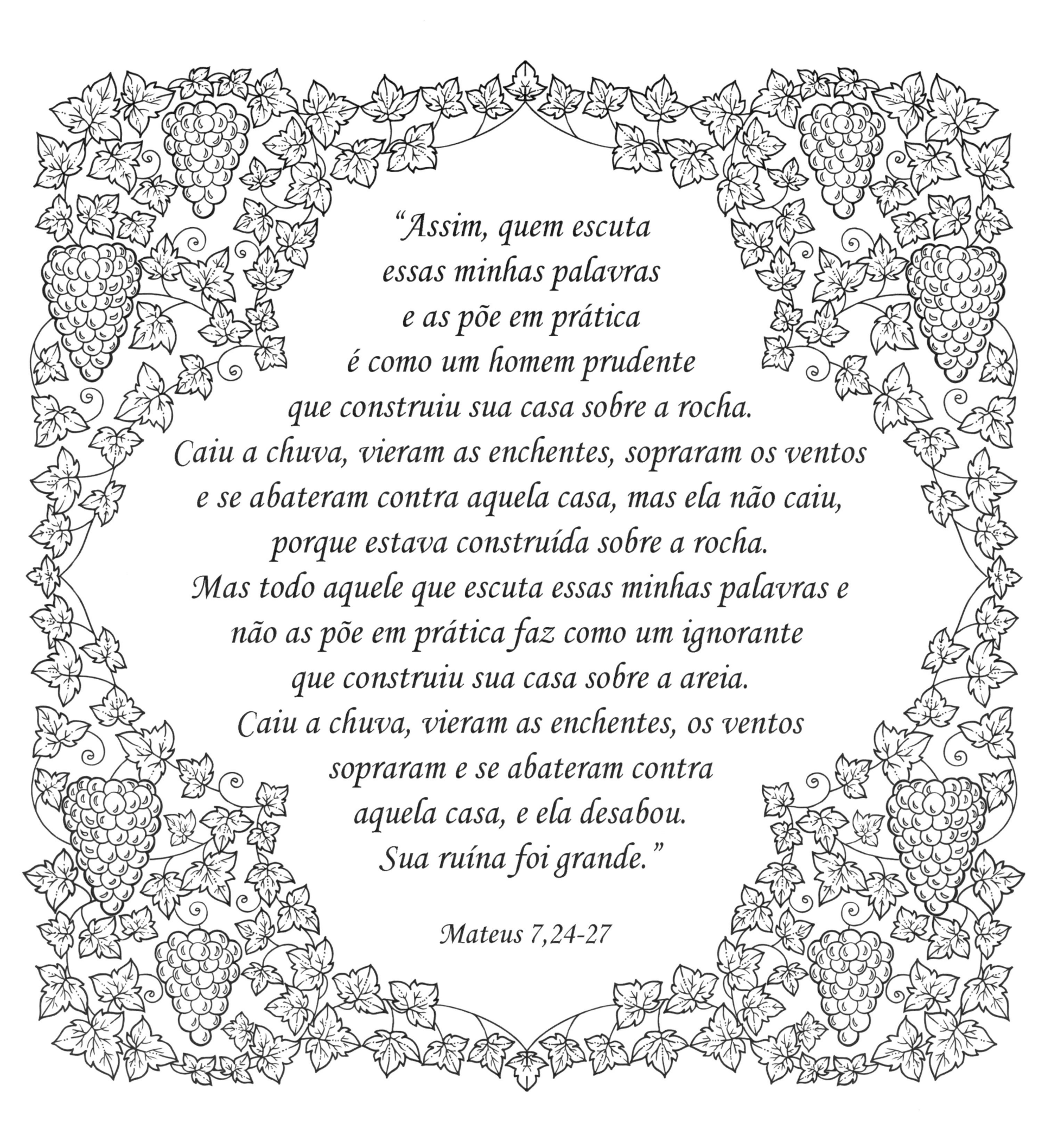

*"Assim, quem escuta
essas minhas palavras
e as põe em prática
é como um homem prudente
que construiu sua casa sobre a rocha.
Caiu a chuva, vieram as enchentes, sopraram os ventos
e se abateram contra aquela casa, mas ela não caiu,
porque estava construída sobre a rocha.
Mas todo aquele que escuta essas minhas palavras e
não as põe em prática faz como um ignorante
que construiu sua casa sobre a areia.
Caiu a chuva, vieram as enchentes, os ventos
sopraram e se abateram contra
aquela casa, e ela desabou.
Sua ruína foi grande."*

Mateus 7,24-27

A videira e os ramos

"Eu sou a videira verdadeira,
e meu Pai é o agricultor.
Todo ramo que em mim não produz
fruto, ele o corta; e todo ramo que
produz fruto, ele o poda
para que produza mais fruto.
Vós já estais limpos por causa
da palavra que vos falei.
Permanecei em mim, como eu em vós.
Como o ramo não pode dar fruto por si
mesmo se não permanecer na videira, assim
também vós, se não permanecerdes em mim.
Eu sou a videira e vós os ramos.
Quem permanece em mim e eu nele,
esse dá muitos frutos, porque
sem mim nada podeis fazer.
Se alguém não permanece em mim,
será lançado fora como o ramo, e ele seca.
Os ramos secos são recolhidos e
lançados ao fogo para se queimarem.
Se permanecerdes em mim, e minhas
palavras permanecerem em vós, pedi
o que quiserdes, e vos será feito.
Nisto é glorificado meu Pai: que deis
muito fruto e vos torneis meus discípulos."

João 15,1-8

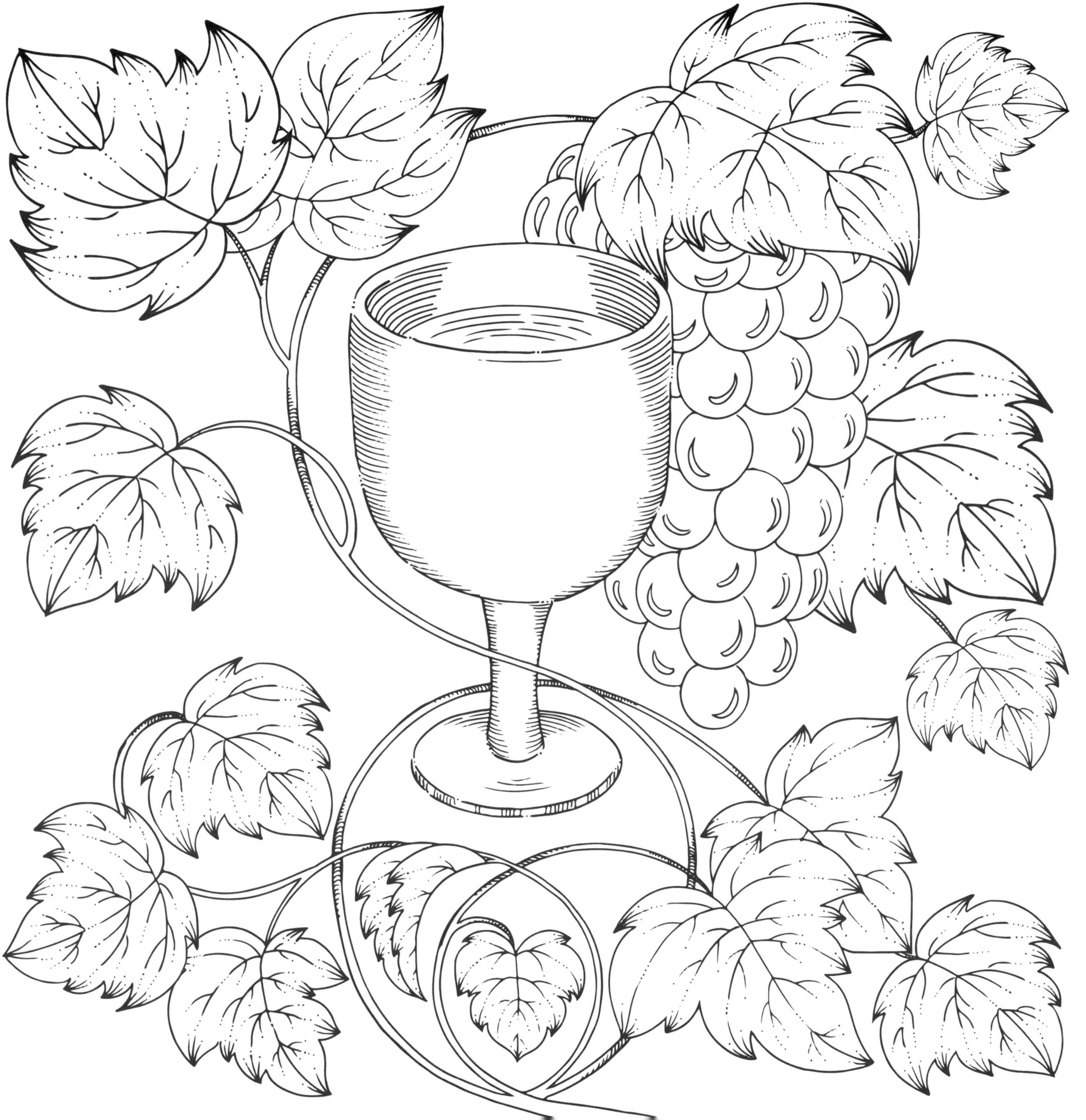

*"Como o Pai me amou, assim também vos amei.
Permanecei em meu amor.
Se guardais meus mandamentos, permanecereis
em meu amor, assim como eu guardei os mandamentos
de meu Pai e permaneço em seu amor.
Eu vos disse estas coisas para que minha alegria
esteja em vós, e vossa alegria seja plena.
Este é meu mandamento:
que vos ameis uns aos outros como eu vos amei."*

João 15,9-12

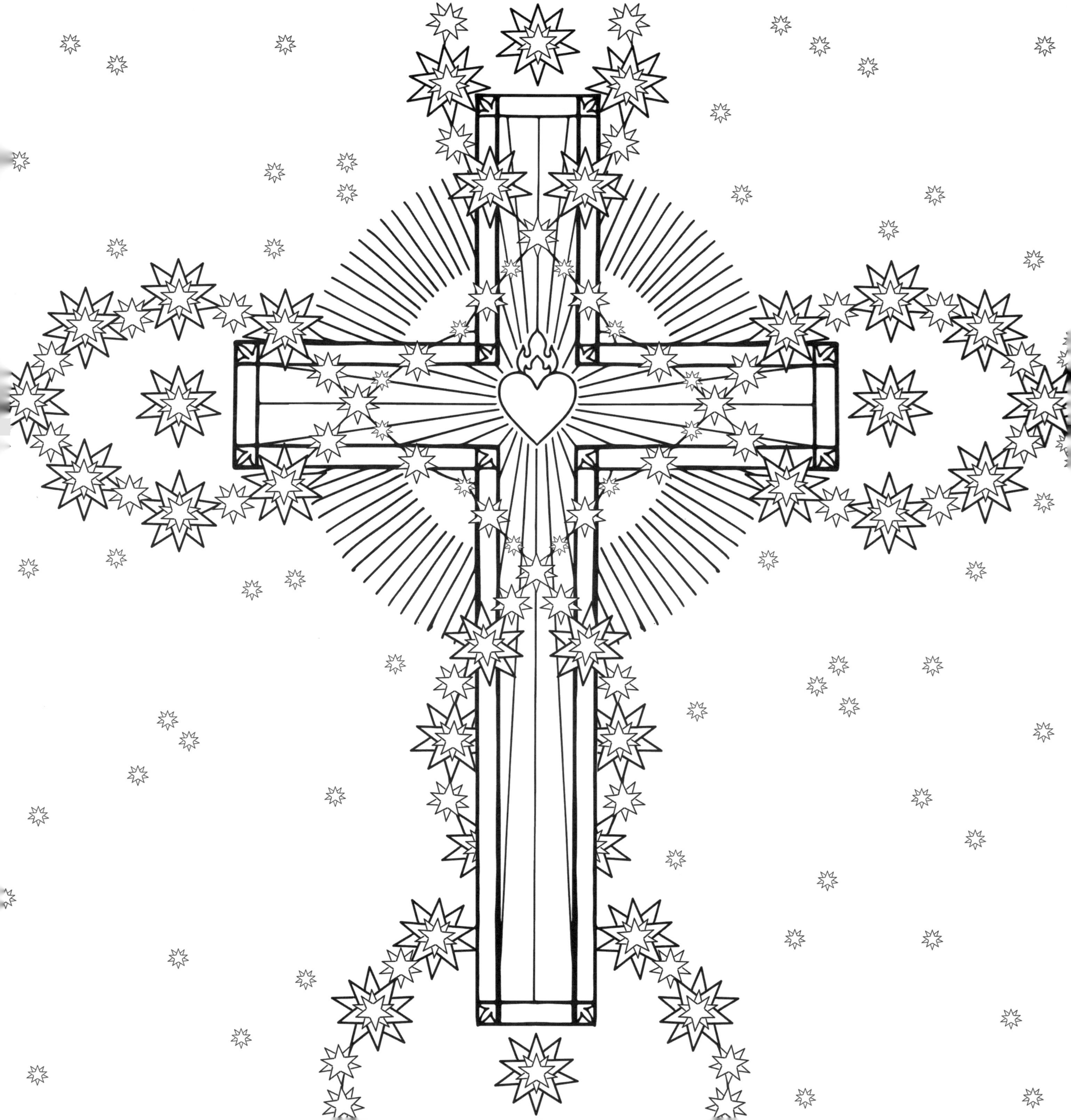

"Amai-vos uns aos outros como eu vos amei."

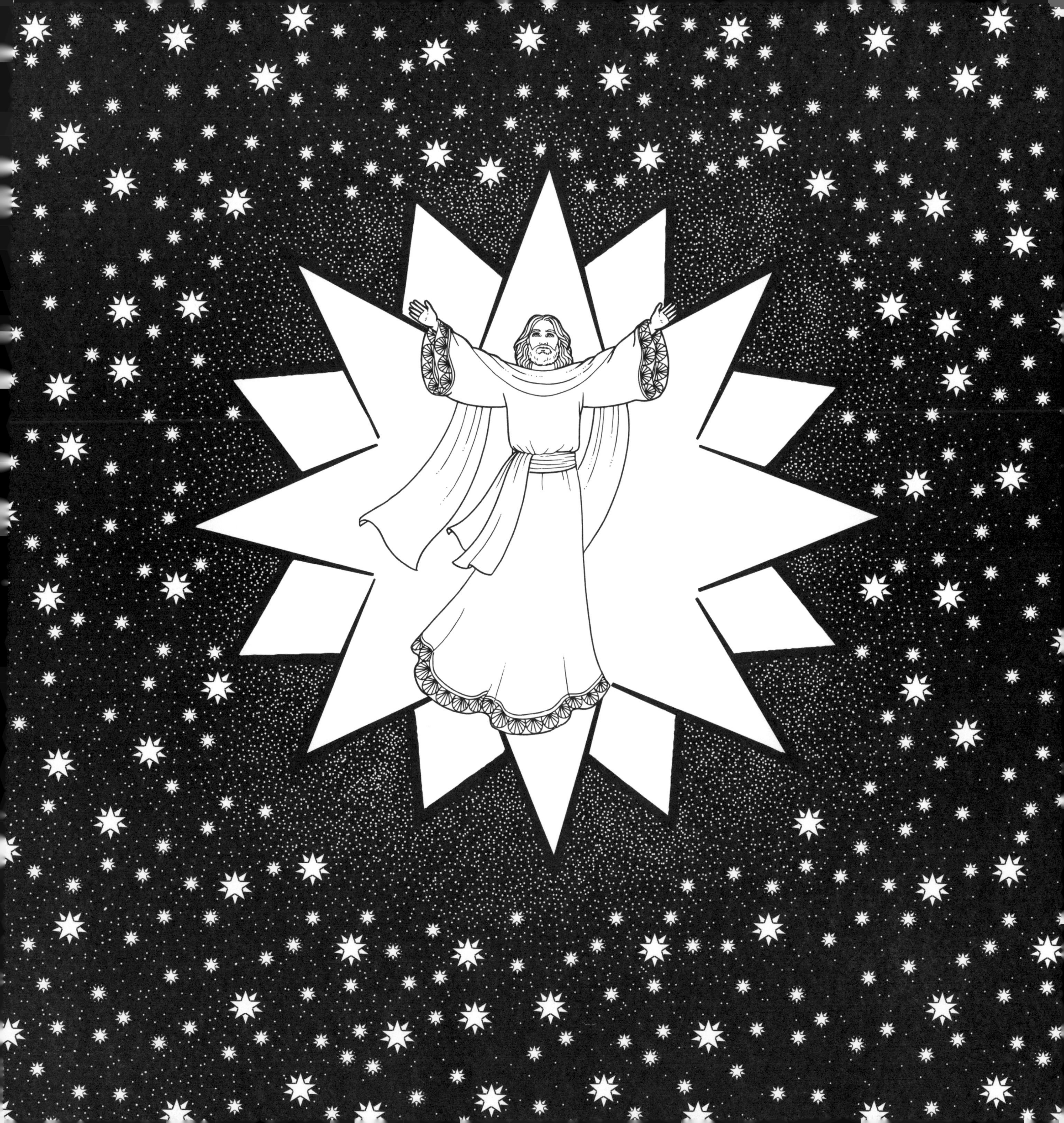

As páginas seguintes foram criadas para que você possa, se quiser, colorir, recortar as imagens e transformá-las em quadros. Corte-as sobre a linha tracejada, pinte e emoldure, espalhando-as por sua casa ou presenteando pessoas queridas com as mensagens de Cristo.

*"Não ajunteis tesouros na terra,
onde a traça e a ferrugem os destroem
e os ladrões assaltam e roubam.
Mas ajuntai riquezas no céu,
onde nem traça nem ferrugem
as podem destruir, nem os ladrões
conseguem assaltar e roubar.
Pois onde estiver teu tesouro,
aí estará também teu coração."*

Mateus 6,19-21

"Portanto vos digo: para vossa vida, não vos preocupeis com o que comereis ou bebereis, nem para vosso corpo, o que vestireis. A vida não vale mais que o alimento, e o corpo não vale mais que a roupa? Olhai as aves do céu: não semeiam nem colhem, nem ajuntam mantimentos no paiol; no entanto, vosso Pai celeste lhes dá o alimento. Será que não valeis mais que elas? Quem de vós é capaz, com suas preocupações, de acrescentar uma hora sequer à duração de sua vida?"

Mateus 6,25-27

"E por que vos preocupais com a roupa?
Olhai os lírios do campo como crescem: não trabalham nem tecem.

Entretanto vos digo que nem Salomão, no
auge de sua glória, vestiu-se como um deles.

Se Deus dá uma roupa destas à relva do campo, que hoje existe e amanhã
será jogada ao fogo, quanto mais não fará por vós, gente pobre de fé?

Não fiqueis, pois, preocupados, perguntando:
Que vamos comer? Que vamos beber? Com que nos vamos vestir?

Os pagãos é que vivem preocupados com tudo isso.
Ora, vosso Pai celeste sabe que precisais de tudo isso.

Buscai em primeiro lugar o Reino de Deus e sua
justiça, e todas essas coisas vos serão acrescentadas.

Portanto, não vos preocupeis com o dia de amanhã; o dia de
amanhã se preocupará consigo mesmo. Basta a cada dia sua pena."
Mateus 6,28-34

"Pedi e recebereis; buscai e achareis;
batei e a porta vos será aberta.
Pois todo aquele que pede recebe;
quem procura acha;
e ao que bate, abre-se a porta.
Quem de vós dará uma pedra
ao filho que lhe pedir pão?
Ou lhe dará uma cobra, se lhe pedir peixe?
Ora, se vós, que sois maus, sabeis
dar coisas boas a vossos filhos,
quanto mais vosso Pai celeste dará
coisas boas aos que lhe pedirem!"

Mateus 7,7-11

A videira e os ramos

"Eu sou a videira verdadeira, e meu Pai é o agricultor. Todo ramo que em mim não produz fruto, ele o corta; e todo ramo que produz fruto, ele o poda para que produza mais fruto. Vós já estais limpos por causa da palavra que vos falei. Permanecei em mim, como eu em vós. Como o ramo não pode dar fruto por si mesmo se não permanecer na videira, assim também vós, se não permanecerdes em mim. Eu sou a videira e vós os ramos. Quem permanece em mim e eu nele, esse dá muitos frutos, porque sem mim nada podeis fazer. Se alguém não permanece em mim, será lançado fora como o ramo, e ele seca. Os ramos secos são recolhidos e lançados ao fogo para se queimarem. Se permanecerdes em mim, e minhas palavras permanecerem em vós, pedi o que quiserdes, e vos será feito. Nisto é glorificado meu Pai: que deis muito fruto e vos torneis meus discípulos."

João 15,1-8

"*Pai nosso, que estais nos céus,
santificado seja o vosso nome,
venha a nós o vosso reino,
seja feita a vossa vontade,
assim na terra como no céu.
O pão nosso de cada dia nos dai hoje,
perdoai as nossas ofensas,
assim como nós perdoamos
a quem nos tem ofendido,
e não nos deixeis cair em tentação,
mas livrai-nos do mal.*"

Mateus 6,9-13

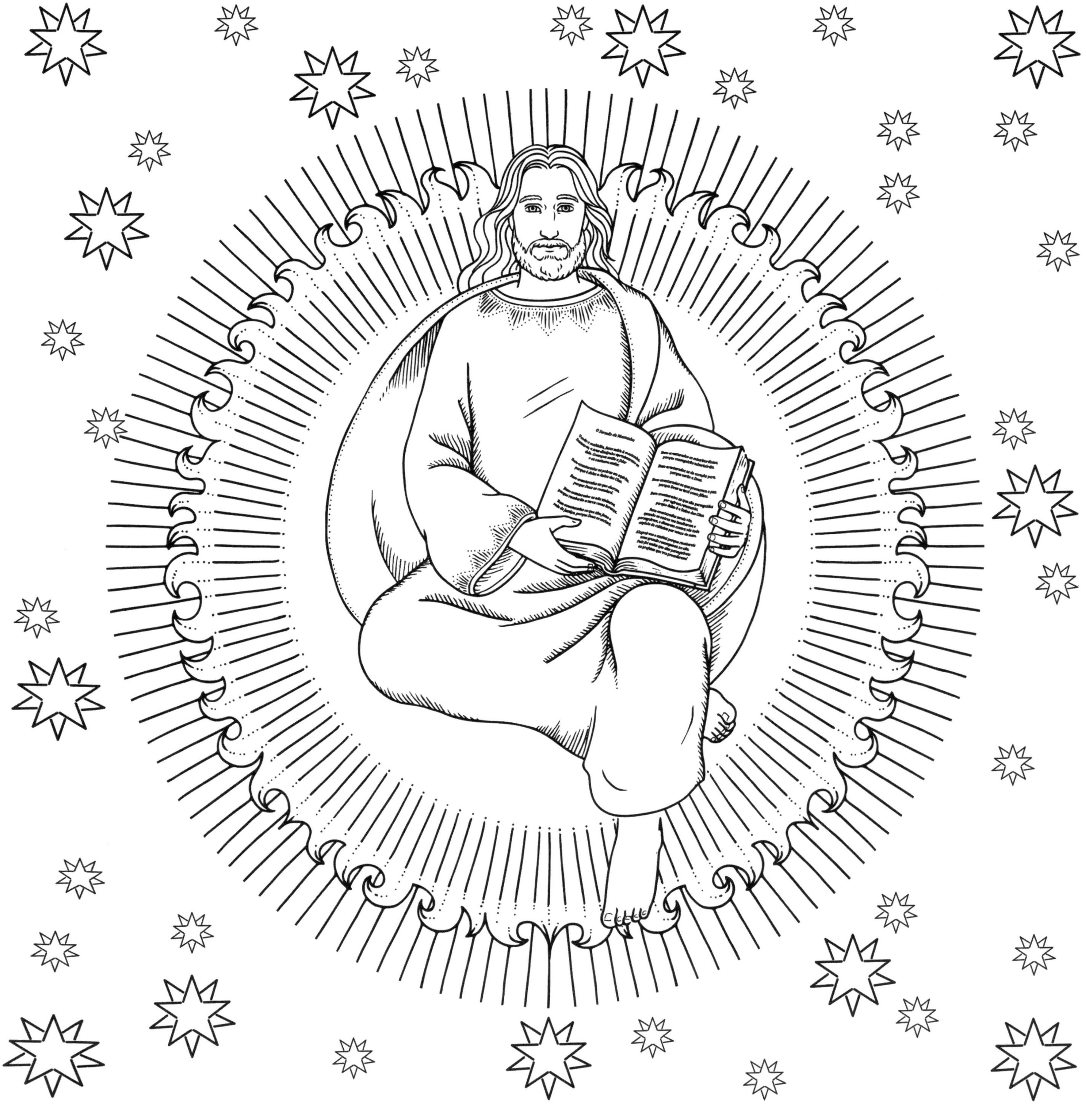